POURQUOI LES PLANTES NE SE DÉPLACENT PAS

Données de catalogage avant publication (Canada)
Amoi, Assamala, 1960-
POURQUOI LES PLANTES NE SE DÉPLACENT PAS
(Collection Plus)
Pour les jeunes.
ISBN 2-89428-038-6
I. Danawi, Mohamed. II. Titre. III. Collection.
PZ23.A46Po 1994 j843 C94-940591-4

Directrice de collection : **Françoise Ligier**
Maquette de la couverture : **Marie-France Leroux**
Composition et mise en page : **Mégatexte**

L'éditeur a tenu à respecter les particularités linguistiques des auteurs qui viennent de toutes les régions de la francophonie. Cette variété constitue une grande richesse pour la collection.

Éditions Hurtubise HMH
7360, boulevard Newman
Ville LaSalle (Québec)
H8N 1X2 CANADA
Téléphone : (514) 364-0323

Dépôt légal/3e trimestre 1994
Bibliothèque Nationale du Québec
Bibliothèque Nationale du Canada

Exclusivité France, Belgique, Suisse
Gamma Jeunesse
13, rue Raymond Losserand
75014 Paris, FRANCE
Téléphone : (1) 40.47.80.00
ISBN : 2-7130-1644-4

Loi n^{0} 49-956 du 16 juillet 1949 sur les publications destinées à la jeunesse

POURQUOI LES PLANTES NE SE DÉPLACENT PAS

Assamala Amoi

Illustré par
Mohamed Danawi

Collection Plus
dirigée par Françoise Ligier

Assamala AMOI enseigne l'anglais dans une école secondaire à Abidjan, en Côte d'Ivoire. Elle a écrit de nombreux poèmes, des nouvelles pour adultes, publiées aux éditions CEDA (Abidjan). C'est pour sa fille Xica qu'elle invente des histoires pour rire et pour rêver. Elle aime particulièrement ce mélange de merveilleux et de réalisme qui fait le charme de *Pourquoi les plantes ne se déplacent pas*.

Mohamed DANAWI est né en 1967, à Accra, au Ghana. Il a passé son enfance à Tripoli, au Liban, où il dessinait des soldats et des immeubles détruits, la plupart du temps !
Il a reçu un baccalauréat en design de l'Université Concordia, à Montréal, et une maîtrise en illustration de Savannah College of Art and Design, aux États-Unis. Il a travaillé comme illustrateur pour des agences de publicité et des revues. *Pourquoi les plantes ne se déplacent pas* est son premier livre illustré. Comme Tam le chasseur, Mohamed a épousé une belle princesse mais elle est italienne !

1

Autrefois

Autrefois, il y a très très longtemps, les hommes avaient beaucoup de difficultés pour trouver à manger. En ce temps-là, il n'y avait ni marché ni supermarché. Pour se nourrir, les hommes étaient obligés de courir après les agoutis*, les biches ou les lions afin de les capturer. C'était difficile et dangereux. Malheureusement, il n'y avait pas que cela.

Les hommes étaient obligés de courir après les plantes dont ils avaient besoin

pour calmer leur faim ou pour se soigner. Eh oui, en ce temps-là, les plantes, tout comme les hommes et les animaux, pouvaient se déplacer à leur gré. Il était fréquent de voir un homme ou une femme courir après un goyavier* ou un bananier pour lui arracher quelques fruits.

Alors, mes amis, imaginez combien il devait être difficile d'attraper un manguier* pour se régaler de mangues bien sucrées ! Et puis, comment avoir de l'ombre assez longtemps pour faire la sieste quand les arbres se déplacent tout le temps ? Quant aux fleurs, il était presque impossible de respirer leur parfum ou de les cueillir pour en faire des bouquets. C'est ainsi que vivaient les premiers êtres humains.

Un jour, pour une mystérieuse raison, ni les femmes ni les hommes ne réussirent à ramener une seule bête, un seul fruit ou même quelques feuilles pour une sauce. Au début, personne ne s'inquiéta véritablement

car il y avait beaucoup de poissons dans le fleuve. Tout le monde se mit donc à pêcher. On mangea du poisson au petit déjeuner, au déjeuner et au dîner. Mais bien vite il ne resta plus rien à pêcher. La famine s'abattit sur le village. Les enfants pleuraient, les femmes et les hommes étaient de très mauvaise humeur car ils étaient tous affamés. Les jours et les nuits passaient et celles et ceux qui allaient à la chasse revenaient bredouilles.

Face à cette situation dramatique, Elalié, la princesse qui règnait sur le village au bord du fleuve, convoqua une réunion. Tous les habitants du village répondirent à son appel. Au coucher du soleil, chacun s'assit sur son tabouret bas, au pied de la grande chaise royale en or de la princesse. Dans la cour royale, la lumière des torches éclairait les visages tristes. La princesse au beau teint noir et aux longues tresses souples prit la parole :

— Mes chers sujets, je vous réunis ici ce soir pour que nous trouvions une solution à la famine qui nous fait tant souffrir. Si personne ne trouve rapidement de quoi manger, nous mourrons tous. Je suis très malade. Je sais que vous êtes fatigués et désespérés, mais je vous demande de faire un nouvel effort et d'aller encore plus loin car j'ai besoin de plantes pour me soigner.

Un jeune chasseur, appelé Tam, se leva pour dire quelque chose :

— Très chère princesse Elalié, nous t'aimons tous. Ton sourire est comme un beau rêve pour nous. Nous ne voulons pas que tu meures. Demain, à la tombée de la nuit, nous irons encore plus loin que nous sommes allés avant-hier, hier et aujourd'hui. Moi, Tam, je ne reviendrai pas au village tant que je n'aurai pas capturé les plantes qui te guériront.

— Oui, nous les chasseurs, nous sauverons la princesse Elalié, nous sauverons

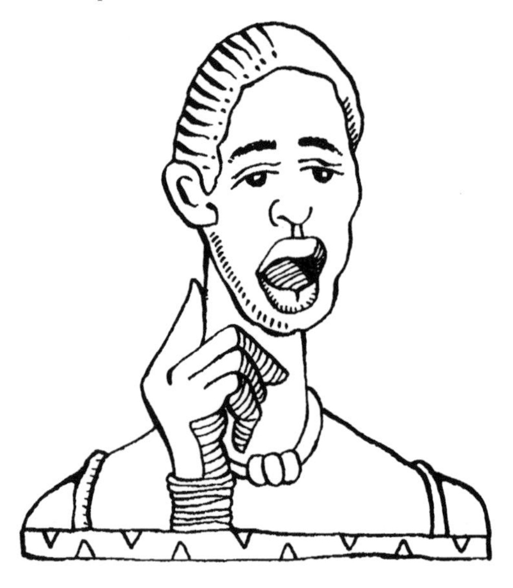

le village ! crièrent ensemble les hommes et les femmes chasseurs.

La princesse Elalié fit un effort pour sourire et dit :

— Mes amis, je vous remercie de votre bravoure. Qu'elle soit récompensée pour notre bonheur à tous !

Afin de pouvoir se reposer suffisamment, les chasseurs allèrent se coucher. En fin d'après-midi, ils se réveillèrent et se préparèrent pour la chasse. Avant d'aller chacun de leur côté, les chasseurs jurèrent que cette fois-ci, ils ne reviendraient pas avant d'avoir trouvé quelque chose à manger et des plantes pour guérir la princesse Elalié. Pendant que le soleil se couchait, chaque chasseur choisit une direction et s'y engagea. Les femmes et les hommes avaient l'habitude de chasser la nuit pour ne pas être vus.

Au bout du premier jour, soixante chasseurs revinrent au village, tristes et

découragés. Au bout du deuxième jour, vingt chasseurs revinrent au village, affamés et désespérés. Au bout du troisième jour, ce fut au tour de dix-neuf autres chasseurs de revenir au village, à bout de force.

Un seul chasseur n'était pas revenu. C'était Tam. Certains disaient qu'il avait été dévoré par une bête féroce, ou encore qu'il était mort de soif et de faim quelque part, très loin du village. D'autres disaient qu'il reviendrait avec de la viande et des plantes pour la princesse Elalié et pour tout le village. Ceux qui disaient ceci et ceux qui disaient cela étaient tous malheureux, à cause de la famine et aussi de la santé de leur princesse. La fièvre de la princesse Elalié était de plus en plus forte et la princesse devenait de plus en plus faible.

2

Tam

Tam n'était pas mort. Le premier jour de chasse, comme tous les autres chasseurs, il ne trouva rien. Il eut beau regarder autour de lui pendant qu'il marchait, il ne vit ni une plante ni un animal. Le deuxième jour, Tam eut la chance d'apercevoir une antilope qui courait. Il se lança à sa poursuite mais elle fut plus rapide que lui et disparut au loin. Tam décida de continuer à avancer dans la direction où avait disparu l'antilope. Hélas,

le troisième jour fut semblable au premier ! Tam avait de plus en plus faim et soif. Il trébucha plusieurs fois sur les cailloux qui se trouvaient sur sa route. Pour ne pas perdre courage, Tam pensa très fort à la princesse Elalié. Il compta et recompta ses longues et fines tresses brunes.

Le quatrième jour, enfin, il vit un arbre et se mit à marcher à sa suite en pleurant car il n'avait pas la force de le capturer. L'arbre s'arrêta au bord d'un ruisseau et y trempa ses racines pour boire. Tam, le brave chasseur, s'approcha de lui et se mit à chanter :

Oh ! si je ne trouve pas de feuilles,
Si je ne trouve pas d'écorces,
Ma belle princesse Elalié
Mourra.
Oh ! si je ne trouve pas de racines,
Si je ne trouve pas de fruits,
Ma belle princesse Elalié
Mourra.

L'arbre se redressa. Ému par le désespoir de Tam, il lui demanda :

— Jeune et beau chasseur, pourquoi pleures-tu ?

— Arbre au cœur bon, je pleure parce que ma princesse adorée va mourir si je ne peux ni la soigner ni lui donner à manger.

— Que cela est triste ! Viens, suis-moi. Je te conduirai chez mon roi, le baobab. Il pourra peut-être t'aider.

Malgré la faim et la fatigue, Tam le brave chasseur se mit à marcher à la suite de l'arbre. L'arbre et Tam marchèrent pendant

des heures avant d'arriver à destination, au coucher du soleil. Tam eut la plus grande surprise de sa vie, celle de voir un nombre impressionnant d'arbres rassemblés. Sous ses pieds, Tam ne pouvait même pas voir la terre, tant l'herbe était drue. Il n'avait jamais vu autant de fleurs et de feuilles réunies. Il y avait des cannes à sucre, des papayers, des hibiscus* en quantité.

Il y avait aussi de nombreuses plantes qu'il n'avait jamais vues et dont il ignorait le nom.

L'arbre dit à Tam :

— C'est ma forêt.

Tam le regarda sans comprendre :

— Une forêt ? Qu'est-ce que c'est ?

L'arbre lui expliqua :

— Une forêt, c'est une famille d'arbres, d'herbes, de fleurs et de lianes.

— Ah ! je comprends maintenant, dit Tam. Je vois pourquoi on ne trouve plus ni une plante ni un animal. Toutes les plantes se sont réunies ici et les animaux sont venus vivre au milieu d'elles.

— Suis-moi, répéta l'arbre, je te conduirai chez mon roi, le baobab.

Pendant que Tam et son ami l'arbre avançaient au milieu de la forêt, des fleurs dansaient, des arbustes chantaient et des plantes jouaient entre elles. Quant aux

arbres, ils s'écartaient sur le passage des deux amis et les saluaient.

— Bonjour, homme ! salua un cocotier.

— Bonjour, cocotier ! répondit Tam.

— Tu as l'air fatigué, affamé et assoiffé. Tiens, prends une de mes noix. Tu en boiras le lait et tu en mangeras la chair. Cela te fera du bien.

— Merci, dit Tam avant d'obéir au cocotier.

Après le cocotier, ce fut au tour du corossolier*, du bananier et du goyavier d'offrir leurs fruits. Malheureusement, Tam fut obligé de refuser car son sac de chasseur et son ventre étaient aussi pleins l'un que l'autre. Avec tristesse, Tam pensa à la princesse Elalié qui était très malade et à tous les gens du village qui avaient faim.

Enfin, Tam et son ami l'arbre arrivèrent devant le roi de la forêt, le baobab. Lorsque Tam vit le baobab, il eut peur et essaya de se sauver mais son ami l'arbre l'en empêcha.

— N'aie pas peur, mon ami. Mon roi a bon cœur.

Le baobab était gigantesque. Il était vingt fois plus gros que la case royale de la princesse Elalié ! Et sa cime se perdait dans le ciel. Tam se sentit tout petit devant le roi des arbres. L'arbre, ami de Tam, s'inclina et dit :

— Je te salue, mon roi.

— Je te salue, arbre. Qui est l'homme qui se trouve avec toi ?

— Oh ! roi, c'est mon ami. Il m'a expliqué que la princesse de son village est très malade. Il a besoin de plantes pour la guérir.

Le baobab s'adressa à Tam :

— Homme, est-ce bien vrai ?

Tam s'inclina devant le roi et dit :

— Oui, roi Baobab, cela est bien vrai. La famine s'est abattue sur mon village au

bord du fleuve. Pour une raison mystérieuse, nous, les hommes, ne trouvons plus ni feuilles ni fruits pour nous nourrir, ni plantes pour nous soigner. Je te supplie de m'aider.

— D'accord, répondit le roi Baobab. Je vais réunir les membres de la forêt. Après cela, je prendrai une décision.

Tam vit le roi envoyer des oiseaux avertir toute la forêt. Aussitôt, les membres de la forêt se rassemblèrent en demi-cercle autour du roi Baobab. Il leur dit :

— Les hommes qui vivent dans le village au bord du fleuve risquent de mourir si nous ne les aidons pas.

Tam entendit les membres de la forêt discuter de ce qu'ils pourraient faire pour secourir les femmes, les hommes et les enfants. À un moment, il y eut une dispute car le rosier rouge et l'hibiscus orange voulurent profiter de l'occasion pour déterminer lequel des deux était le plus beau. Le

fromager* intervint pour dire que la survie du village au bord du fleuve était plus importante qu'un concours de beauté. Enfin, les plantes se mirent d'accord. Ce fut le fromager qui transmit leur décision au roi Baobab.

— Roi Baobab, nous sommes tous d'accord pour aider les femmes, les

hommes et les enfants. Qu'ils viennent ici prendre ce dont ils ont besoin. Nous les attendons.

Le baobab s'adressa à Tam :

— Homme, cette solution te convient-elle ?

Tam secoua la tête et répondit :

— Roi de la forêt, je te remercie, mais les gens de mon village sont trop faibles pour marcher jusqu'ici.

— Ce n'est pas grave, dit le baobab. Dans ce cas, j'ordonnerai à la forêt de me suivre et tu nous conduiras jusqu'à ton village.

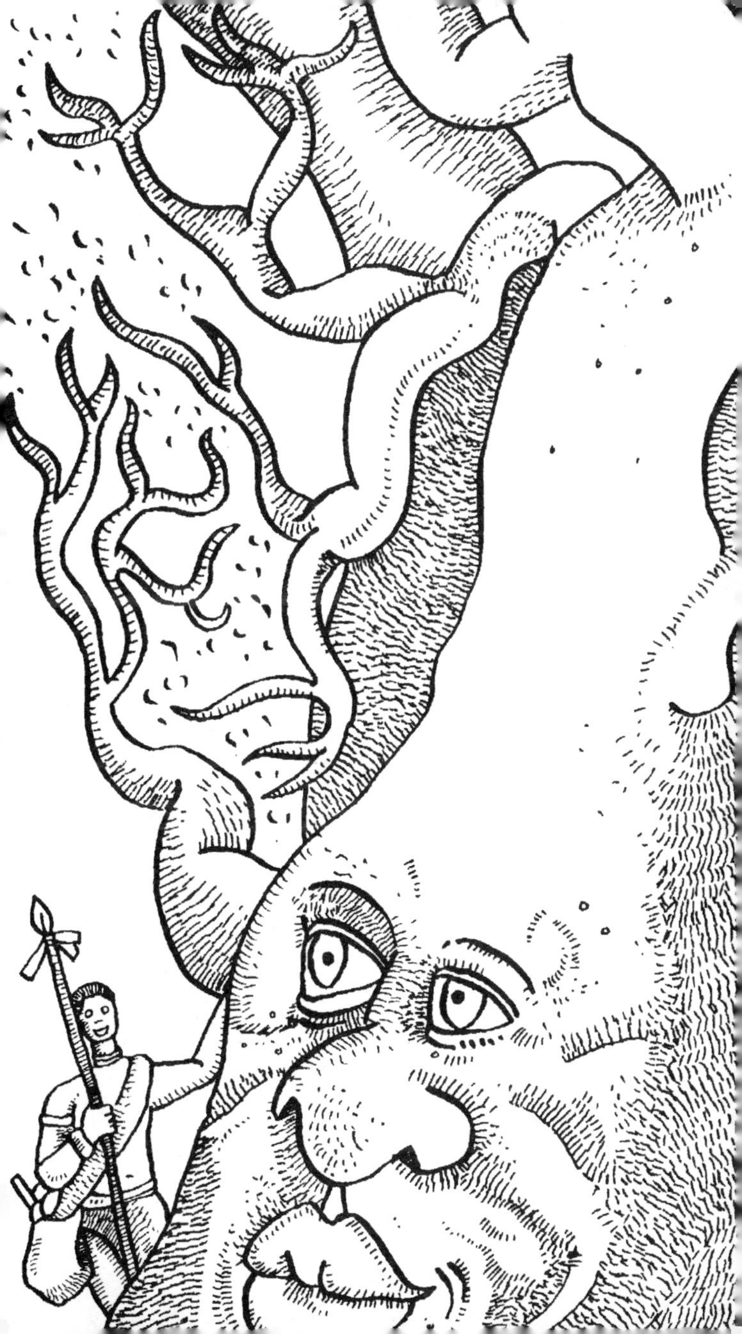

Tam dit alors :

— Baobab, roi des arbres, je te jure que moi, Tam le chasseur, je te serai reconnaissant toute ma vie, et mes descendants aussi.

Le baobab qui avait bon cœur dit alors :

— Tes bonnes paroles me font plaisir. À présent, repose-toi. Demain, dès l'aube, nous irons dans ton village.

Tam s'endormit à la belle étoile sur l'herbe douce.

3

Le retour au village

Le lendemain, le soleil qui se levait assista à la marche de Tam, suivi par le baobab et les membres de la forêt à la queue leu leu. À la tête de l'impressionnant cortège, Tam le brave chasseur, chantait :

J'ai trouvé des feuilles,
J'ai trouvé des écorces,
Ma belle princesse Elalié
Vivra.
J'ai trouvé des racines,

J'ai trouvé des fruits,
Ma belle princesse Elalié
V*ivra*.

Seuls, l'hibiscus orange et le rosier rouge n'écoutaient pas la chanson de Tam parce qu'ils n'arrêtaient pas de se disputer. Ému par la joie de Tam, un quinquéliba* lui demanda :

— Dis-moi, chasseur, comment est ta princesse ?

Tam répondit en souriant :

— Tu la verras, mon ami. Son sourire est un rêve et ses yeux sont des graines de soleil.

Tam repensa à la princesse Elalié. Il se mit à compter et à recompter ses longues tresses brunes.

Lorsque Tam et la forêt arrivèrent en chantant au bord du fleuve, les hommes, les femmes et les enfants poussèrent des cris de joie. Tam et la forêt allèrent saluer la

princesse Elalié. Elle leur souhaita la bienvenue en ces termes :

— Je te salue, roi Baobab. Je te remercie d'être venu à notre secours avec toutes les autres plantes. Je te promets que moi, princesse Elalié, je te serai reconnaissante toute ma vie, et mes descendants aussi.

Le roi Baobab répondit :

— Je te salue, belle princesse au sourire de rêve. Je suis heureux d'être venu à ton secours. À présent, que chacun vienne se servir.

— Merci ! Merci ! Merci ! crièrent les enfants, les femmes et les hommes. Puis ils coururent vers les arbres fruitiers pour cueillir et manger les fruits.

Les enfants, les femmes et les hommes prenaient bien soin des plantes. Ils les arrosaient régulièrement, enlevaient les feuilles et les branches mortes et ne faisaient pas de gaspillage. Les plantes se sentirent si bien auprès des hommes

qu'elles décidèrent de ne plus se déplacer. Elles enfoncèrent leurs racines dans la terre pour toujours. Comme le village était beau avec ses allées bordées d'arbres, ses cases entourées de fleurs ! Et que la vie était agréable avec l'ombre et la fraîcheur, le gai bavardage des oiseaux ! Les gens prirent l'habitude de se réunir le soir sous le baobab qui participait à leur conversation.

La princesse Elalié avait retrouvé la santé. Elle convoqua une assemblée sous le gigantesque baobab. Assise sur sa chaise royale en or, la princesse sourit à tous avant de prendre la parole :

— Bonjour mes amis ! Je voudrais dire à tout le monde que je suis guérie. Je tiens à remercier Tam, le plus brave des chasseurs.

Tout le village applaudit et les arbres alentour agitèrent leurs branches. La princesse Elalié appela le plus brave des chasseurs :

— Tam, que veux-tu en récompense de ton exploit ? de l'or ? de l'argent ? des pierres précieuses ?

Tam, le plus brave des chasseurs, vint s'agenouiller devant la princesse Elalié et parla :

— Je ne veux ni or, ni argent, ni pierres précieuses. Je demande la main de celle dont le sourire est un rêve et dont les yeux sont des graines de soleil.

La princesse Elalié lui demanda :

— Que sais-tu d'elle, Tam, pour oser demander sa main ?

Tam le chasseur répondit :

— Je sais que son cœur est un jardin ouvert et que, sous sa couronne, il y a cent tresses souples.

La princesse Elalié se rendit compte que le chasseur la connaissait bien. Les arbres et les hommes avaient bien compris que Tam demandait à la princesse Elalié de l'épouser. Ils se demandaient ce qu'elle allait répondre. La princesse Elalié tendit la main à Tam et dit :

— Tam, je t'accorde ma main.

On organisa une grande et belle fête pour célébrer le mariage de la princesse et du chasseur, ainsi que l'amitié des arbres et des hommes. Et, depuis ce jour, pour rendre les hommes heureux, les plantes ne se déplacent plus.

Table des matières

LE PLUS DE *Plus*

Réalisation :
Chantal Massinon
Dung Huynh-Truong

Une idée de
Jean-Bernard Jobin
et Alfred Ouellet

Avant la lecture

Glossaire

Quelques définitions pour t'aider à mieux comprendre le conte que tu vas lire :

1. **Agouti** : petit animal (50 cm) rongeur des forêts humides.
2. **Bravoure** : courage.
3. **Capturer un animal** : ramener un animal vivant.
4. **Corossolier** : arbre tropical qui donne les corossols.
5. **Dormir à la belle étoile** : dormir en plein air.
6. **Être à bout de forces** : être très fatigué, ne plus avoir de force.
7. **Faire du gaspillage** : dépenser beaucoup et inutilement.
8. **Famine** : manque général de nourriture dans un village, une ville ou une région.
9. **Fromager** : très grand arbre des régions tropicales.
10. **Goyavier** : arbre des régions tropicales qui donne les goyaves.
11. **Hibiscus** : arbre tropical et aussi plante d'ornement produisant de très belles fleurs.
12. **Quinquéliba** : plante utilisée en infusion pour soigner le paludisme.

13. **Manguier** : arbre qui donne les mangues.
14. **Marcher à la queue leu leu** : marcher l'un derrière l'autre, en file.

15. **Revenir bredouille de la chasse** : revenir sans avoir rien pris.
16. **Se déplacer à son gré** : aller et venir selon son goût ou son désir.
17. **Se régaler** : manger avec plaisir.

As-tu un cœur d'artichaut ?

On utilise des noms d'arbres, de fruits, de fleurs ou de plantes pour faire des comparaisons. Cela permet de mieux se faire comprendre et souvent d'embellir ce qu'on veut exprimer avec des mots. Si tu arrives à avoir cinq bonnes réponses, tu es un vrai génie en herbe !

1.	Être solide comme un chêne	A.	Avoir des difficultés
2.	Avoir un cœur d'artichaut	B.	Partager les avantages et les inconvénients
3.	Plier comme un roseau	C.	Voir tout du bon côté, être optimiste
4.	Couper la poire en deux	D.	S'installer pour longtemps
5.	Prendre racine	E.	Aimer tout le monde mais de façon superficielle
6.	Être dans les choux	F.	Être souple, flexible
7.	Voir la vie en rose	G.	Être fort, robuste

C'est ainsi que vivaient les premiers êtres humains

Voici le garde-manger du temps où vivait la princesse Elalié. Ces aliments existent encore de nos jours et se mangent de différentes façons, selon les pays. Peux-tu les identifier?

1. C'est un petit fruit très sucré qu'on trouve surtout en Afrique du Nord. Il se mange frais ou sec. Il remplace un bonbon sans nuire à ta santé.

2. On la trouve surtout dans les pays tropicaux. Elle est nourrissante et te donne de l'énergie quand tu fais du sport.

3. Les tiges de cette plante contiennent un jus que tu peux boire nature ou avec du citron. Dans plusieurs pays, on s'en sert pour fabriquer du sucre.

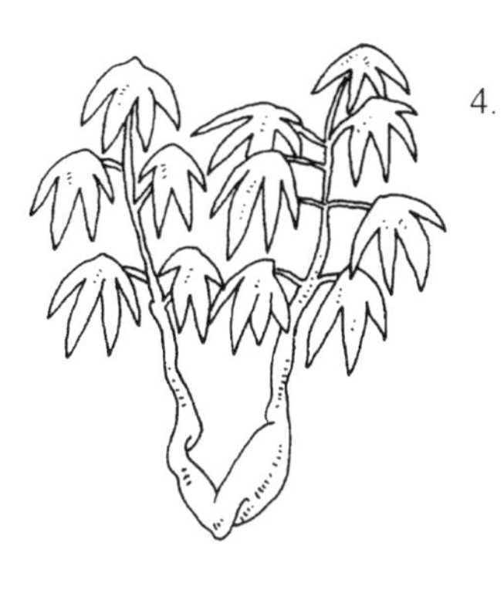

4. Ses feuilles se mangent comme un légume, ses racines remplacent le pain ou le riz et servent à la fabrication du tapioca. On en consomme beaucoup en Afrique, en Asie et en Amérique latine.

5. Les graines de cette plante poussent sous la terre. On les mange cuites à l'eau dans certains pays, grillées dans d'autres. Les Américains en font une sorte de beurre qu'ils mangent avec du pain, au petit déjeuner.

6. Le fruit de cet arbre est utilisé de différentes façons. On boit son jus, on mange sa chair ou on en extrait de l'huile.

Quel remède pour se soigner ?

Voici une liste de feuilles, de fleurs, de fruits ou de plantes ayant des vertus médicinales. Peux-tu retrouver leurs propriétés dans les définitions au bas de la page suivante ? Tu es un expert en botanique si tu trouves cinq bonnes définitions !

1. Noix de kolatier

2. Aloès

3. Camomille

4. Eucalyptus

5. Menthe 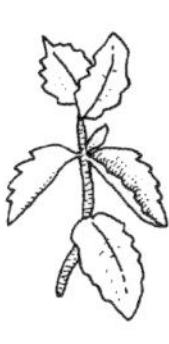

6. Violette 

A. En Afrique, on en met sur les pouces des enfants pour les empêcher de les sucer, elle aide aussi à guérir les petites blessures.

B. Calme les nerfs et soulage l'estomac.

C. Les Africains les mâchent pour donner de la force à leurs muscles.

D. Ses fleurs, en infusion ou en sirop, soulagent les crises d'épilepsie et calment les colères violentes.

E. Stimulante, elle facilite la digestion.

F. Avec ses feuilles, on fabrique de l'huile et un onguent qui servent à faire dégager les bronches et à faire tomber la fièvre.

Au fil de la lecture

La forêt du roi Baobab

Les noms des fruits, des fleurs, des arbres et des animaux ci-dessous figurent dans le texte. Les lettres sont en désordre. Essaie de les reconstituer en t'aidant des définitions.

1. I G U A T O	Espèce de rongeur vivant dans la forêt
2. P A T O L I N E	Animal à cornes en spirale qui court très vite.
3. R A N N A B E I	Arbre donnant des bananes
4. T R O C I C O E	Donne des noix de coco.
5. S L O O R O C S	Gros fruit acidulé à la chair blanche et juteuse
6. V E G O Y A	Fruit du goyavier.
7. H U S S I B I C	Plante à grandes fleurs orange, jaunes ou rouges
8. K L A B I K E N I	Guérit la maladie de la princesse Elalié.
9. E M N A U G	Fruit du manguier
10. N O I S S O P	Vit dans l'eau.

Charades

Mon premier est près du sol.

Mon deuxième est une exclamation.

Mon troisième se trouve dans babouin.

Mon tout est un arbre gigantesque et majestueux, considéré comme le plus gros au monde.

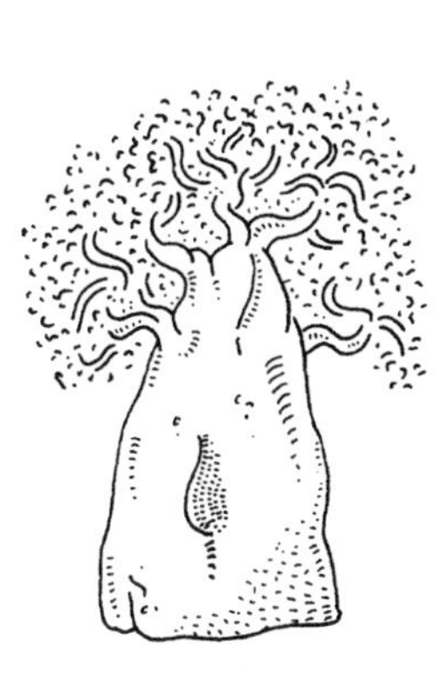

Mon premier est la première syllabe de froment.

Mon deuxième est un adjectif possessif féminin singulier

Mon troisième est la septième lettre de l'alphabet.

Mon tout pousse dans les forêts d'Afrique et donne un fruit qui s'appelle le kapok.

Pour prolonger la lecture

Qui suis-je ?

Es-tu un bon ornithologue ? En t'aidant de la définition et des illustrations, essaie de retrouver le nom de ces oiseaux qui ont sûrement vécu dans la forêt du roi Baobab.

1. Je viens des bords du fleuve Congo. J'ai un beau plumage multicolore. Quand je fais le beau, ma queue en éventail est admirable.

2. Je mesure environ 2 mètres de haut et je pèse 150 kg. Je cours vite et je vis dans les savanes de l'Afrique du Sud.

3. Je me nourris de fruits. On me trouve dans les forêts d'Afrique. Je niche dans des cavités d'arbre. J'ai un immense bec surmonté d'un casque.

4. Je ne suis pas très grand mais je parle. On me trouve surtout en Guinée. Je mesure environ 31 cm.

Sorbet à la mangue

Voici une recette à base d'un fruit tropical. Tu peux la réaliser toi-même. Il te faut :

a) les ustensiles suivants :

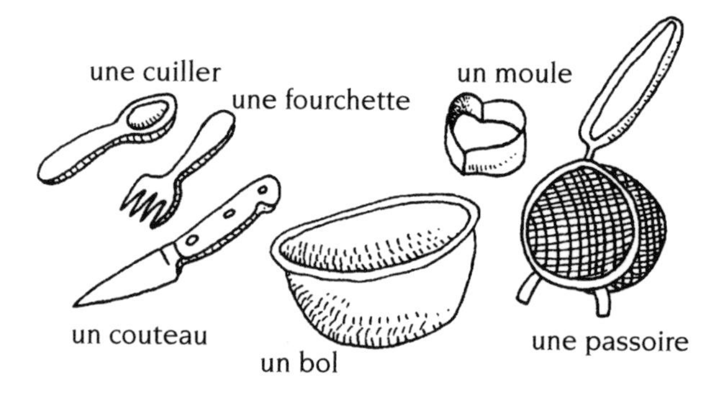

b) les ingrédients suivants :

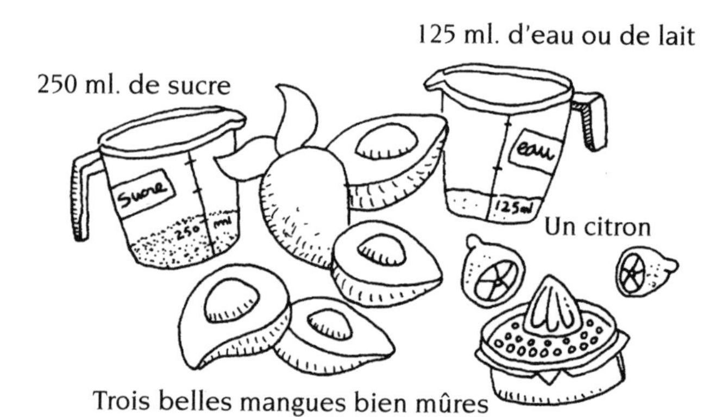

Avec un couteau, pèle les mangues et sépare la pulpe des noyaux.

Mets la pulpe dans le bol à mélanger et écrase-la bien avec une fourchette.

Verse la pulpe écrasée dans la passoire. Place ta passoire sur le bol à mélanger.

À l'aide d'une cuiller, écrase encore la pulpe afin d'obtenir une purée très fine dans le bol.

Mélange ta purée avec le jus du citron et le sucre.

Ajoute 125 ml d'eau ou de lait écrémé. Mélange bien et verse le tout dans un moule que tu mettras au congélateur pendant quelques heures.

Lorsque le sorbet est ferme, place ton moule quelques secondes dans un grand bol d'eau.

Démoule et place ta préparation dans une assiette.

Et voilà ! Tu peux inviter tes amis
à se régaler avec toi.

Les solutions

Avant la lecture

As-tu un cœur d'artichaut ?
1. G ; 2. E ; 3. F ; 4.B ; 5.D ; 6.A ; 7.C.

C'est ainsi que vivaient les premiers êtres humains
1. la datte ; 2. la banane ; 3. la canne à sucre ; 4. le manioc ; 5. l'arachide ; 6. la noix de coco.

Quel remède pour se soigner ?
1. C ; 2. A ; 3. B ; 4. F ; 5. E ; 6. D.

Au fil de la lecture

La forêt du roi Baobab
1. agouti ; 2. antilope ; 3. bananier ; 4. cocotier ; 5. corossol ; 6. goyave ; 7. hibiscus ; 8. quinquéliba ; 9. mangue ; 10. poisson.

Charades
Le baobab et le fromager.

Pour prolonger la lecture

Qui suis-je ?
1. le paon ; 2. l'autruche ; 3. le calao ; 4. le perroquet.

Dans la même collection

Premier niveau

- **La Peur de ma vie**
  Paul de Grosbois
- **Une journée à la mer**
  Marie Denis
- **L'Escale**
  Monique Ponty
- **L'Homme qui venait de la mer***
  Robert Soulières
- **Le Fantôme du rocker**
  Marie-Andrée et Daniel Mativat
- **Le Dossier vert**
  Carmen Marois
- **Le Cosmonaute oublié**
  Marie-Andrée et Daniel Mativat
- **Ulysse qui voulait voir Paris**
  Monique Ponty

➢ **Ma voisine, une sorcière**
Jeannine Bouchard-Baronian

➢ **L'Écureuil et le Cochon**
Micheline Coulibaly

➢ **Chats qui riment et rimes à chats**
Pierre Coran

■ **Le Mendigot**
Fatima Gallaire

■ **Jonas, le requin rose**
Yvon Mauffret

■ **Un prétendant valeureux**
Georges Ngal

■ **Viva Diabolo!***
Monique Ponty

■ **Sonson et le volcan**
Raymond Relouzat

■ **Le Monde au bout des doigts**
Marie Dufeutrel

■ **Kouka**
Missa Hébié

■ **Rose la rebelle**
Denise Nadeau

Deuxième niveau

- **Aventure à Ottawa**
  Doumbi Fakoly
- **Une barbe en or***
  Cécile Gagnon
- **L'Inconnue du bateau fantôme**
  Colette Rodriguez
- **Mannequin noir dans barque verte**
  Évelyne Wilwerth *suivi de*
  Le Carnaval de Venise
  Andrzej Kosakiewicz
- **Espaces dans le temps**
  Janine Idrac
- **Meurtre en miroir**
  Irina Drozd

➢ **Pourquoi les plantes ne se déplacent pas**
Assamala Amoi

➢ **La Mouette**
Irina Drozd

■ **La Nuit mouvementée de Rachel**
Marie-Andrée Clermont

- ■ **La Fresque aux trois démons**
  Daniel Sernine
- ■ **CH. M. 250. K**
  Nicole Vidal
- ■ **L'Almanach ensorcelé**
  Marc Porret *suivi de*
  L'Espace d'une vengeance
  Véronique Lord
- ■ **Le Vieil Homme et le Petit Garnement**
  Caya Makhele
- ■ **Le Galop du Templier***
  Anne-Marie Pol
- ■ **Mamie Blues**
  Grégoire Horveno
- ➢ **La Chienne aztèque**
  Louise Malette

Troisième niveau

- • **Un matin pour Loubène***
  Pius Ngandu Nkashama
- • **La Forêt de métal**
  Francine Pelletier
- • **Le Sourire de la dame de l'image**
  suivi de
  Le Secret des pivoines
  Madeleine Gagnon *et de*
  Les Deux Maisons
  Esther Rochon
- • **Lorient-Québec**
  suivi de
  L'Esclave blanche de Nantes
  Leïla Sebbar
- • **La Rose des sables**
  Nadia Ghalem
- • **M'en aller**
  Claude Rose et
  Lucien Touati
- ➢ **Poésies francophones**
  Bernard Magnier
- ■ **Poursuite...**
  Marie-Andrée Clermont
- ■ **Portraits de famille***
  Tiziana Beccarelli-Saad
- ■ **L'Homme du Saint-Bernard**
  Monique Ponty
- ■ **Une affaire de vie ou de mort**
  Marie-Françoise Taggart
- ■ **Enfance, enfance**
  Rabah Belamri *suivi de*
  Le Locataire
  Elsa Mazigi *et de*
  Les Enfants du lac Tana
  Pius Ngandu Nkashama
- ■ **Le Baiser des étoiles**
  Jean-François Somain
- ■ **Les 80 Palmiers d'Abbar Ben Badis**
  Jean Coué
- ■ **La Chambre noire du bonheur**
  Marguerite Andersen
- ■ **Le Chant de la montagne**
  Fatima Gallaire
- ➢ **Le Fils du mercenaire**
  Pius Ngandu Nkashama

- • **Niveau facile**
- ■ **Niveau intermédiaire**
- ➢ **Nouveautés 94**

* Texte également enregistré sur cassette.